Collection dirigée par Etienne Delessert
Direction artistique de Rita Marshall
"Le Pêcheur et sa Femme" a été traduit par Armel Guerne

Editors: Ann Redpath et George R. Peterson.

ISBN 2-246-32131-X. N°d'Edition 37-0982-1
Dépôt légal septembre 1983. Loi 49.956 du 16.7.1949
Imprimé en Suisse par les Imprimeries Réunies, Lausanne.

LE PECHEUR ET SA FEMME

JAKOB & WILHELM GRIMM
illustré par
JOHN HOWE

GRASSET·MONSIEUR CHAT

Il était une fois

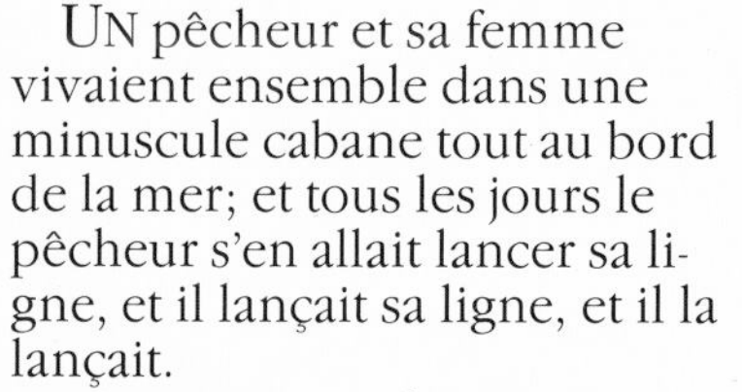

UN pêcheur et sa femme vivaient ensemble dans une minuscule cabane tout au bord de la mer; et tous les jours le pêcheur s'en allait lancer sa ligne, et il lançait sa ligne, et il la lançait.

Ainsi, un jour, il était assis près de sa ligne et il regardait toujours dans l'eau claire, il regardait et il était assis, assis.

Puis tout à coup la ligne plongea et s'en alla au fond, tout au fond; et quand il la remonta, il tira dehors un grand turbot qui était au bout. Alors le turbot parla:

– Ecoute, pêcheur, je te le demande, laisse-moi la vie, je ne suis pas un vrai turbot, je suis un prince ensorcelé. Si tu me fais mourir, cela t'avancera à quoi? tu ne me trouveras quand même pas à ton goût. Rejette-moi à l'eau et laisse-moi nager.

– Beuh! dit l'homme, pas besoin de si longs discours: un turbot qui sait parler, moi, je te le renvoie à l'eau illico.

Et il le rejeta dans l'eau claire, où le turbot plongea tout droit vers le fond en laissant une longue traînée de sang derrière lui. Puis le pêcheur s'en alla et revint auprès de sa femme dans la pauvre cabane.

– Homme, lui demanda-t-elle, tu n'as rien pris aujourd'hui?

– Non, dit l'homme. J'avais pris un turbot, qui m'a dit qu'il était un prince ensorcelé; alors je l'ai remis à nager.

– Et sans rien demander, sans faire un souhait? dit la femme.

– Eh non! dit l'homme. Qu'est-ce que j'avais à demander?

– Oh! dit la femme, c'est pourtant assez écœurant de vivre toujours dans un vrai pisse-pot, une masure dégoûtante et qui pue! Tu pouvais pourtant bien souhaiter une petite chaumière pour nous. Vas-y et appelle-le: tu lui diras que nous voudrions avoir une chaumière; sûrement qu'il te la donnera.

– Ah! dit l'homme, pourquoi retourner là-bas? A quoi ça sert?

– Alors quoi? dit la femme, tu l'avais pris et tu l'as remis à l'eau. C'est sûr qu'il va te la donner! Vas-y, là, vas-y vite.

L'homme n'était pas d'accord, mais il ne voulait pas s'opposer à sa femme, ni se risquer à la contrarier; et il s'en retourna jusqu'à la mer. Quand il y fut, l'eau n'était plus transparente et claire, mais jaune et verte entièrement. Il se planta tout au bord et dit:

Turbot, turbot dans la mer,
Croix de bois et croix de fer,
Y a ma femme Elsabella
Qui veut autrement que moi.

Le turbot apparut, nageant à la surface, et dit:
– Alors, qu'est-ce qu'elle veut?
– C'est parce que je t'avais pris, dit l'homme; alors elle dit comme cela que je pouvais bien faire un vœu. Ça ne lui va plus d'habiter un pisse-pot, elle aimerait bien une chaumière.
– Vas-y, dit le poisson, elle a tout ce qu'elle voulait.

L'homme s'en retourna chez lui, mais ce n'était plus dans le pisse-pot qu'habitait sa femme: il vit une coquette chaumière, et sa femme qui était assise devant la porte, sur un banc. Elle le prit par le bras et lui dit:

– Entre donc et regarde un peu, c'est quand même beaucoup mieux!

Ils entrèrent; et à l'intérieur il y avait une belle petite entrée, une grande pièce et une chambre à deux lits, chacun le sien, puis une cuisine avec l'office, où tout luisait de propreté, les meubles, les cuivres et les étains étincelants, car il ne manquait rien de rien; et par-derrière, il y avait une courette avec des poules et des canards, et de plus un jardinet plein de légumes verts et de fruits juteux.

– Tu vois, dit la femme, c'est gentil, non?

– Ça oui, dit l'homme, ce sera bon de rester toujours là: on peut y vivre heureux et content!

– On verra ça, dit la femme, on verra.

Après quoi, ils dînèrent et allèrent au lit.

Passèrent une huitaine ou une quinzaine de jours, et la femme dit:

– Ecoute-moi, homme, la chaumière est quand même trop petite, on s'y sent à l'étroit; quant à la cour et au jardin, ils sont vraiment trop minuscules! Le turbot aurait bien dû nous donner quelque chose de plus grand. Moi, ce que je voudrais, c'est habiter un beau château de pierre. Tu n'as qu'à y aller et le lui demander, au turbot: il nous fera bien cadeau d'un château de pierre.

– Ah, femme! dit l'homme, la chaumière est déjà bien bonne pour nous, qu'est-ce que nous avons à faire d'un château?

– Eh bien quoi? dit la femme, tu n'as rien qu'à demander: le turbot peut bien le faire.

– Non, femme, le turbot nous a déjà fait don de la chaumière, dit l'homme, je ne vais pas encore aller l'embêter avec autre chose maintenant.

– Vas-y donc, dit la femme, il peut bien le faire et il le fera volontiers. Vas-y, je te dis!

L'homme en avait un gros poids sur le cœur et ne voulait pas y aller; il se disait en dedans: «Ce n'est pas juste. Ce n'est pas raisonnable.» Mais pour finir, il y alla quand même.

Quand il fut au bord de la mer, l'eau n'était plus jaune et verte entièrement, mais violette et bleue profondément, et lourde et sombre, quoique calme encore. Il alla se planter au bord et dit :

Turbot, turbot dans la mer,
Croix de bois et croix de fer,
Y a ma femme Elsabella
Qui veut autrement que moi.

– Alors, qu'est-ce qu'elle veut? demanda le turbot.

– Ah! dit l'homme en hésitant, elle veut un grand château de pierre comme demeure.

– Vas-y, dit le turbot, elle est déjà devant la porte.

L'homme s'en alla, pensant s'en revenir à sa chaumière; mais quand il arriva, il trouva à sa place un grand palais de pierre avec sa femme au haut des marches, sur le perron, prête à entrer. Elle le prit par le bras et lui dit : «Allons, viens et entrons!» Et l'homme entra avec elle.

Dans le château, il y avait un vestibule superbe avec des murs plaqués de marbre, et là, des domestiques en grand nombre pour leur ouvrir les portes monumentales; sur les hauts murs blancs et polis étaient de belles tapisseries; dans les grands salons et les autres chambres, les fauteuils et les tables étaient d'or pur, et des lustres de cristal en forme de couronne ornaient les plafonds; il y avait des tapis dans toutes les chambres grandes et petites, et des mets de toutes sortes avec les vins les plus fins chargeaient les tables à les faire crouler. Une vaste cour occupait l'arrière du château, avec les écuries des chevaux, et les étables des vaches, et des remises où étaient rangés de magnifiques carrosses; puis un jardin de fleurs et un verger splendides, puis encore un parc d'au moins une lieue de long avec un bois de plaisance tout

giboyeux, où l'on voyait courir les cerfs et les chevreuils et les lièvres et les autres, tous les autres animaux qu'on peut aimer voir et manger.

– Voilà, dit la femme, est-ce que ce n'est pas beau?

– Oh oui, dit l'homme, ce sera bon d'y rester et nous allons habiter ce beau château où nous serons tout à fait heureux.

– On verra ça, dit la femme, on verra. Allons toujours dormir.

Et ils allèrent se coucher.

Le lendemain matin, la femme fut la première levée, et il faisait bien clair, et elle vit la merveilleuse campagne qui se déployait sous ses yeux à perte de vue. D'un coup de coude, elle réveilla son homme qui s'étira mollement.

– Lève-toi un peu, homme, et jette un coup d'œil par la fenêtre, lui dit-elle. Tu vois? Nous pourrions bien être rois sur tout ce beau pays! Va dire au turbot que nous voudrions être rois.

– Ah! femme, qu'est-ce que nous avons besoin d'être rois? répondit l'homme. Je ne veux pas être roi.

– Très bien, dit la femme, si tu ne veux pas être roi, moi je le serai et voilà tout. Va dire au turbot que je veux être la reine de ce pays.

– Ah! femme, qu'est-ce que tu as besoin d'être reine? dit l'homme. Je n'oserai jamais le lui dire, au turbot!

– Et pourquoi pas, si je le demande? dit la femme. Vas-y tout de suite: je veux être la reine.

Il y alla, mais il était tout retourné que sa femme voulût être reine. «Ce n'est pas juste! Ce n'est pas juste! Pas juste et pas juste...», se répétait-il. Et il ne voulait pas y aller, mais il y alla tout de même.

Et quand il fut devant la mer, elle était trouble et d'un gris foncé, et l'eau brassait furieusement le fond jusqu'en surface, et son odeur était puante. Il se planta au bord et dit :

Turbot, turbot dans la mer,
Croix de bois et croix de fer,
Y a ma femme Elsabella
Qui veut autrement que moi.

– Alors, dit le turbot, qu'est-ce qu'elle veut donc ?
– Ah ! dit l'homme, elle veut être la reine.
– Retournes-y, dit le turbot, c'est fait.

L'homme retourna et vit, quand il approcha du palais, que le château était devenu bien plus grand et qu'il avait un gros donjon avec quantité de beaux ornements dessus; et la garde se tenait devant la porte, et il y avait encore beaucoup de soldats, et des trompettes et des tambours. Quand il entra dans le château, tout y était de marbre et d'or, tapissé de velours, avec partout de grands coffres pleins d'or. Et quand s'ouvrirent les portes de la grand-salle, la cour s'y tenait rassemblée et sa femme siégeait sur un grand et haut trône d'or et de diamants, et elle avait sur la tête une haute couronne d'or, et elle tenait dans sa main un sceptre d'or pur couvert de pierreries. De chaque côté d'elle, il y avait un rang de jeunes filles alignées selon la taille, six de chaque côté, avec une différence d'une tête de l'une à l'autre.

Il alla jusque devant elle et dit:

– Ah! femme, te voilà reine à présent?

– Oui, dit-elle, maintenant je suis reine.

Il s'approcha tout près et resta planté devant elle à la regarder, puis il dit:

– Ah femme! c'est quand même une belle chose que tu sois reine! Maintenant nous n'avons plus rien à souhaiter.

– Oh! que si! dit-elle avec émoi, je n'y ai rien trouvé qu'ennui et longueur de temps et j'en ai plus qu'assez! J'ai été reine, et il faut que je sois impératrice à présent. Va et dis-le au turbot.

– Ah! femme, dit l'homme, il ne peut pas te faire impératrice! Je n'ose pas demander cela au turbot.

– Homme, dit la femme, va trouver le turbot: je veux devenir impératrice.

– Ah! femme, qu'est-ce que tu as besoin d'être impératrice? dit l'homme.

– Va le trouver: je veux devenir impératrice! dit-elle.

– Non, femme, dit l'homme, il ne peut pas te faire impératrice. Cela, je ne vais pas le lui demander. Un empereur, il n'y en a qu'un pour tout l'empire, et le turbot ne peut pas te faire impératrice: il ne peut pas et ne peut pas.

– Quoi? dit la femme, je suis reine et tu es mon homme. Va, et vas-y tout de suite, tu as compris?

– Vas-y tout de suite, reprit-elle. Il a pu me faire reine, et il peut aussi me faire impératrice, et moi je veux être impératrice, je le veux. Immédiatement.

Et il dut y aller ; mais tout en y allant, il protestait en lui-même et se sentait plein de crainte : « Ce n'est pas convenable, se disait-il, pas convenable du tout ! Impératrice, c'est trop gros ! Le turbot finira par le prendre mal. »

Tout en se disant cela, l'homme arriva au bord de la mer, et l'eau était toute sombre et démontée, grondante et écumante, avec un vent tempétueux qui emportait l'écume et la faisait voler en sifflant contre lui. Il en fut tout ébranlé ; mais il s'avança quand même et se planta au bord pour dire :

Turbot, turbot dans la mer,
Croix de bois et croix de fer,
Y a ma femme Elsabella
Qui veut autrement que moi.

– Alors, que veut-elle donc ? dit le turbot.

– Ah ! turbot, dit l'homme, ma femme veut devenir impératrice.

– Retourne, dit le turbot, c'est déjà fait.

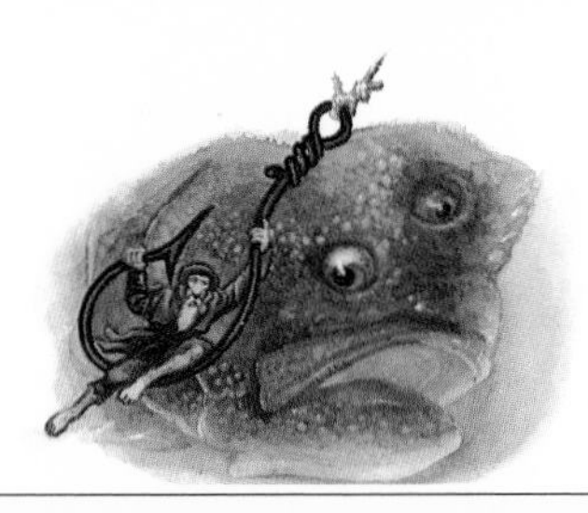

L'homme s'en retourna donc, et quand il fut là-bas, le palais tout entier brillait d'ornements de porphyre et de statues de marbre et d'arabesques d'or. Devant la grand-porte, les soldats paradaient aux sons d'une fanfare qui faisait retentir trompes et trompettes, timbales et tambours. A l'intérieur, c'était une foule de comtes et de barons, de ducs et de princes qui s'empressaient comme des serviteurs; et devant lui, ils ouvrirent les portes qui étaient d'or massif. Quand il entra, il vit sa femme assise sur un trône d'or taillé tout d'une pièce dans une masse d'or, et qui n'avait pas moins de deux étages de hauteur: et elle avait sur la tête une couronne d'or de trois aunes de haut, entièrement ornée de brillants et d'escarboucles; le sceptre était dans sa main, et dans l'autre le globe impérial. De chaque côté s'alignaient des pages rangés sur un double rang, et par taille décroissante, une tête de moins de l'un à l'autre, et le premier était un géant de la hauteur de deux étages, alors que le dernier était un nain pas plus grand que mon petit doigt; et devant elle s'inclinaient les ducs et les princes en nombre incalculable.

L'homme alors s'approcha et se tint devant elle, et il lui dit:

– Ah! femme, te voilà donc impératrice à présent?

– Oui, dit-elle, je suis impératrice.

Il s'avança tout près, se planta devant elle et resta là un bon moment à la regarder sur toutes les coutures, et quand il l'eut bien regardée, il lui dit:

– Ah! femme, c'est beau, c'est vraiment beau que tu sois l'impératrice.

– Eh! dit la femme, qu'as-tu à rester planté sans rien faire? A présent que je suis impératrice, je veux devenir pape et rien d'autre! Va, et dis-le au turbot.

– Ah! femme, dit l'homme, qu'est-ce que tu ne voudrais pas? Mais pape, tu ne peux pas l'être. Le pape, il n'y en a qu'un seul sur toute la chrétienté, et cela il ne peut pas te le donner parce qu'il y en a déjà un.

– Homme, dit-elle, je veux être le pape. Alors vas-y et dis-lui qu'il faut que je devienne le pape aujourd'hui même.

–Non, femme, je ne peux pas lui demander cela, c'est trop gros, cela ne va pas. Le turbot, il ne peut pas te faire pape.

–Homme, qu'est-ce que tu me racontes? dit la femme. Il a pu me faire impératrice, il peut bien me faire pape aussi. Vas-y tout de suite! Je suis impératrice et tu es mon mari, alors est-ce que tu vas y aller?

Il en eut peur et il alla, mais il se sentait tout chose, frissonnant et tremblant, avec les genoux flasques et les jambes molles. Un vent furieux battait le paysage, charriant de gros nuages, et tout était sombre vers le couchant; les feuilles étaient arrachées des arbres, et des vagues énormes s'étaient creusées sur la mer quand il y arriva, qui grondaient et s'écrasaient en cognant contre le rivage; au large, il voyait les navires malmenés sur les lames, et il entendit tirer le canon d'appel au secours. Il y avait bien encore un peu de bleu, juste au milieu du ciel, mais tout autour accouraient des nuages rouges et épais qui n'annonçaient rien de mieux que l'ouragan fatal. L'homme était complètement désespéré quand il vint tout au bord, et il avait grand-peur quand il dit:

Turbot, turbot dans la mer,
Croix de bois et croix de fer,
Y a ma femme Elsabella
Qui veut autrement que moi.

–Alors, que veut-elle encore? dit le turbot.

–Ah! elle veut devenir pape, dit l'homme.

–Retournes-y, dit le turbot, c'est déjà fait.

Alors il s'en revint, et à la place du château il y avait une grande église entourée de palais partout. Devant se pressait la foule qu'il dut traverser pour y arriver, et dedans tout était illuminé de mille et mille lumières, et sa femme était là, tout habillée d'or, assise sur un trône encore plus élevé, avec une triple couronne d'or sur la tête; autour d'elle, elle avait toute la foule du haut clergé, et de chaque côté d'elle, alignés, des cierges en rampe décroissante, dont le plus grand était haut et large comme une énorme tour, et le plus petit pas plus gros que la plus minuscule veilleuse de cuisine. Et tous les empereurs et tous les rois pliaient le genou devant elle et baisaient sa mule.

– Femme, dit l'homme en l'examinant bien, est-ce que tu es le pape à présent?

– Oui, dit-elle, je suis le pape.

Alors il s'approcha tout à fait d'elle et resta planté là, à la regarder; et il lui semblait qu'il regardait le soleil. Et quand il l'eut regardée et regardée encore pendant tout le temps nécessaire, il lui dit:

– Ah! femme, c'est tout de même beau que tu sois devenue pape!

Elle restait assise raide comme un arbre, sans broncher ni piper. Alors il dit:

– Ah! femme, il faut que tu sois contente à présent que tu es pape: tu ne peux rien devenir de plus.

– On verra ça, dit-elle, on verra.

Là-dessus, ils allèrent tous les deux se coucher; mais elle n'était toujours pas contente et son ambition l'empêchait de dormir: elle n'arrêtait pas de se demander ce qu'elle pourrait bien devenir et vouloir.

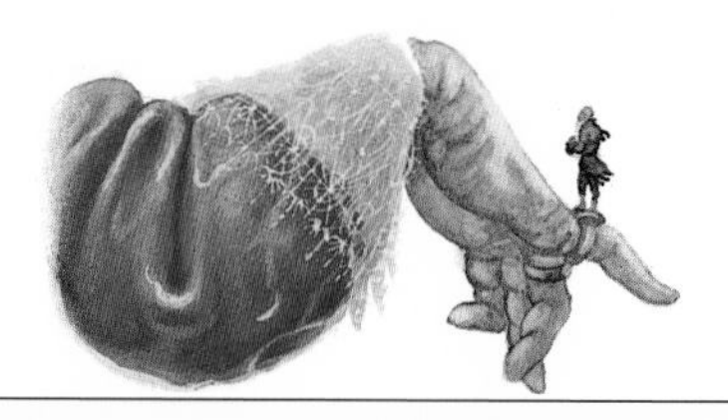

L'homme, lui, dormit profondément et tout d'un trait: il avait beaucoup marché dans sa journée. La femme, par contre, n'arriva pas à fermer l'œil et passa toute la nuit à se tourner et retourner en se demandant ce qu'elle pourrait bien vouloir encore devenir, mais sans trouver la moindre idée dans sa tête. Finalement le soleil était sur le point d'apparaître et l'on apercevait déjà le rosé de l'aurore; alors elle se redressa dans son lit et elle regarda dehors, à travers la fenêtre. Quand elle vit le soleil paraître et jeter ses premiers rayons, une idée lui vint: «Ah! se dit-elle, est-ce que je ne pourrais pas régner sur le soleil et la lune et leur commander, moi, de se lever?»

– Homme! dit-elle en réveillant son mari d'un coup de coude, debout! et va dire au turbot que je veux être comme le bon Dieu.

L'homme était encore à moitié endormi, mais il en reçut un tel choc qu'il en tomba du lit.

– Ah! femme, qu'est-ce que tu dis? fit-il en se frottant les yeux, croyant avoir mal entendu.

– Homme, dit-elle, si je ne peux pas commander au soleil et à la lune de se lever, et s'il faut que je les voie se lever sans mon ordre, je ne pourrai pas y tenir et je n'aurai plus une heure de tranquillité à l'idée que je ne puis les faire lever moi-même.

Elle le fixa de si terrible façon en lui disant cela que l'homme en fut pris de frisson.

– Vas-y, commanda-t-elle, je veux devenir comme le bon Dieu.

– Ah! femme, dit-il en se mettant à genoux, le turbot, c'est quelque chose qu'il ne peut pas faire, cela! Impératrice et puis pape, il a pu le faire, imagine un peu! Mais je t'en supplie maintenant, reprends-toi et restes-en là. Pape, c'est assez!

Une furieuse colère la prit alors, et ses cheveux défaits volaient autour de sa tête, son corsage se déchira entre ses mains, et elle hurla en lui envoyant un coup de pied:

– Je ne peux pas le supporter et je ne le supporterai pas plus longtemps. Vas-tu y aller?

Il passa ses vêtements à toute vitesse et fila comme un fou.

Dehors, la tourmente faisait rage, hurleuse et grondante, à tel point qu'il pouvait à peine se tenir debout. Les maisons et les arbres tremblaient sur leurs bases, les montagnes en étaient secouées, des rochers s'en détachaient et tombaient dans la mer; le ciel était partout d'un noir de poix, grondant de tonnerre et déchiré d'éclairs; la mer était d'un noir d'encre et dressait des vagues lourdes et hautes comme des tours d'église, hautes comme les montagnes, qui avaient toutes une couronne d'écume à leur sommet. L'homme cria, mais il n'entendit pas lui-même le bruit de sa voix:

Turbot, turbot dans la mer,
Croix de bois et croix de fer,
Y a ma femme Elsabella
Qui veut autrement que moi.

– Alors, qu'est-ce qu'elle veut encore? dit le turbot.
– Ah! dit-il, elle veut être comme le bon Dieu.
– Retournes-y: elle est de nouveau assise dans son pisse-pot.

Et c'est là qu'ils demeurent depuis lors, et jusqu'au jour d'aujourd'hui.